AZ Street Atlas of
LINCOL[N]

CW00392158

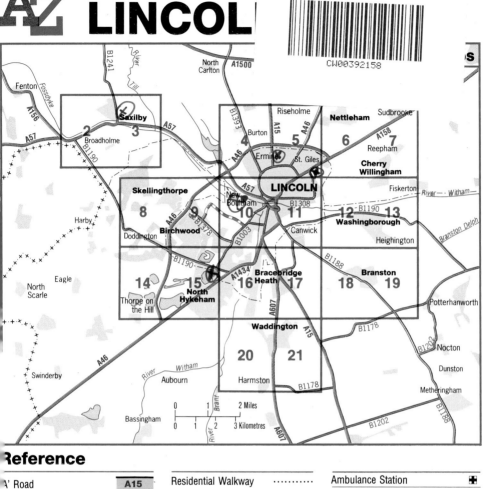

Reference

'A' Road	A15	Residential Walkway	··········	Ambulance Station	✚
Proposed		Railway — Level Crossing / Station		Car Park Selected	P
'B' Road	B1202	Built Up Area		Church or Chapel	†
Dual Carriageway		County Boundary	·+·+·	Fire Station	■
One-Way Street	→	District Boundary	—·—·—	Hospital	H
Traffic flow on 'A' Roads is indicated by a heavy line on the drivers' left.		Posttown Boundary — By arrangement with the Post Office	LN4	House Numbers — 'A' & 'B' Roads only	2 / 45
Pedestrianized Road		Postcode Boundary — Within Posttown		Information Centre	i
Track		Map Continuation	10	National Grid Reference	492
Footpath				Police Station	▲
				Post Office	★
				Toilet	▽
				With Facilities for the Disabled	♿

Scale 1:19,000   3⅓ inches to 1 mile

0   ¼   ½   ¾   1 mile
0   250   500   750   1 kilometre

Geographers' A-Z Map Co. Ltd.

Head Office : Fairfield Road, Borough Green, Sevenoaks, Kent. TN15 8PP   Telephone 01732 781000
Showrooms : 44 Gray's Inn Road, Holborn, London, WC1X 8HX   Telephone 0171 242 9246

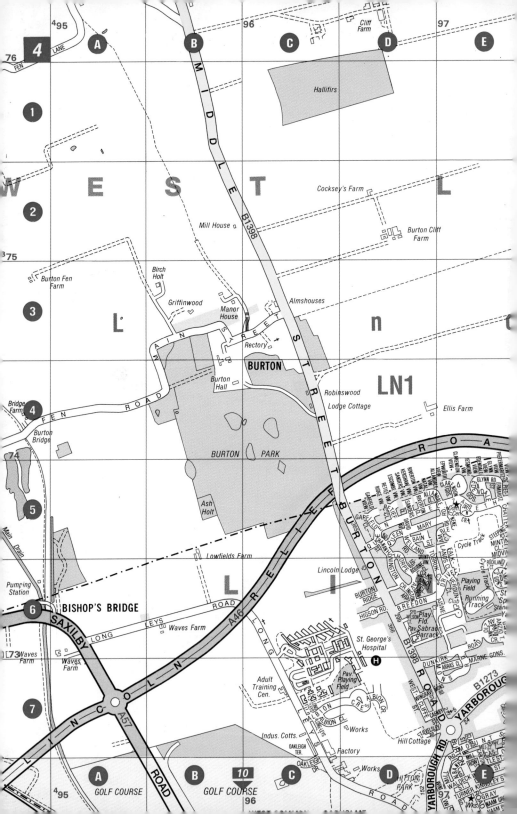

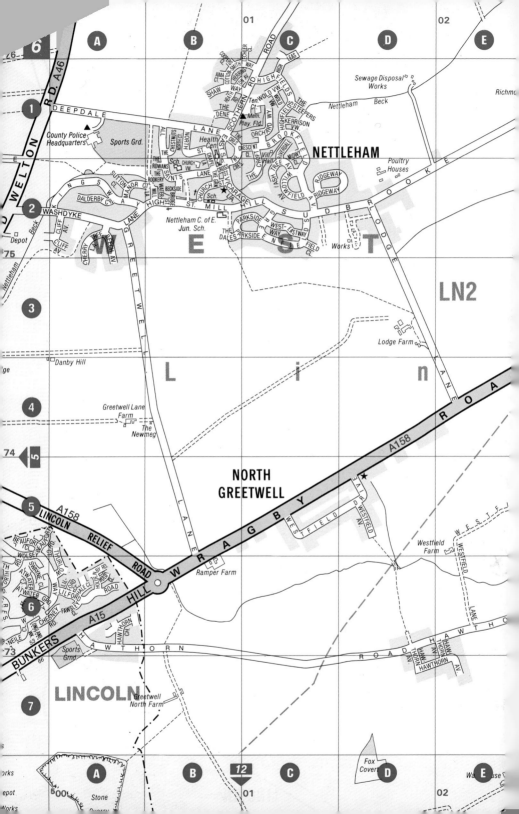

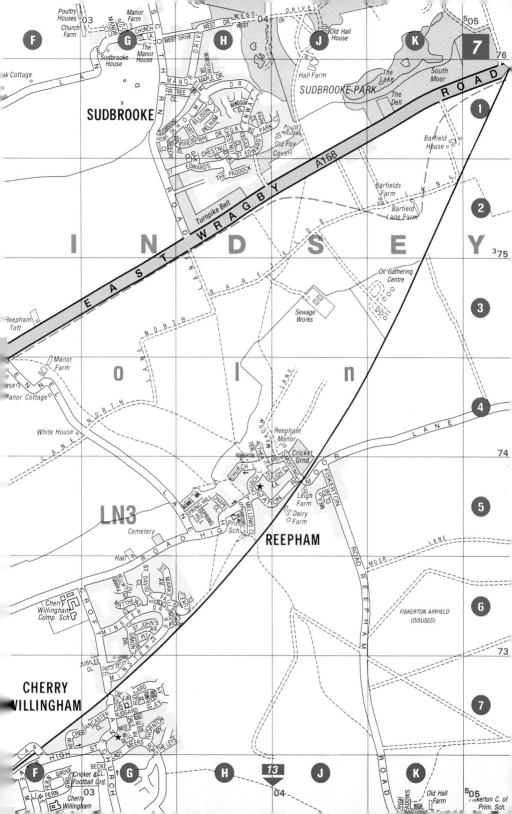

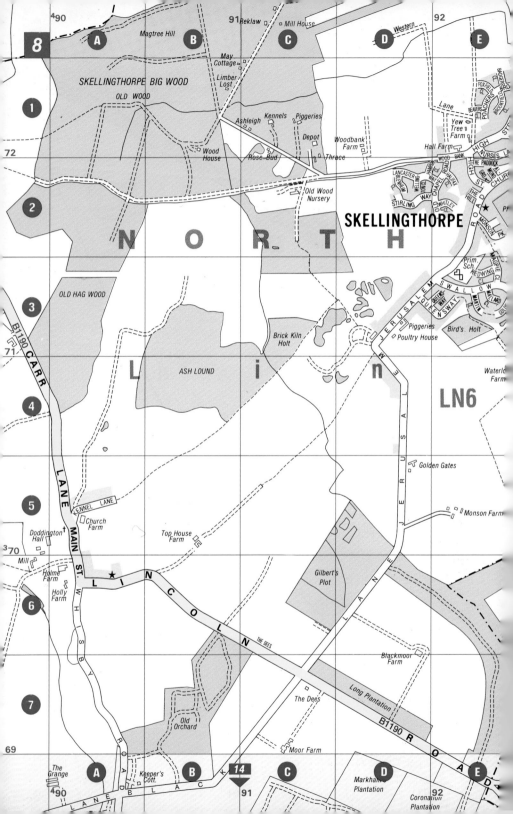

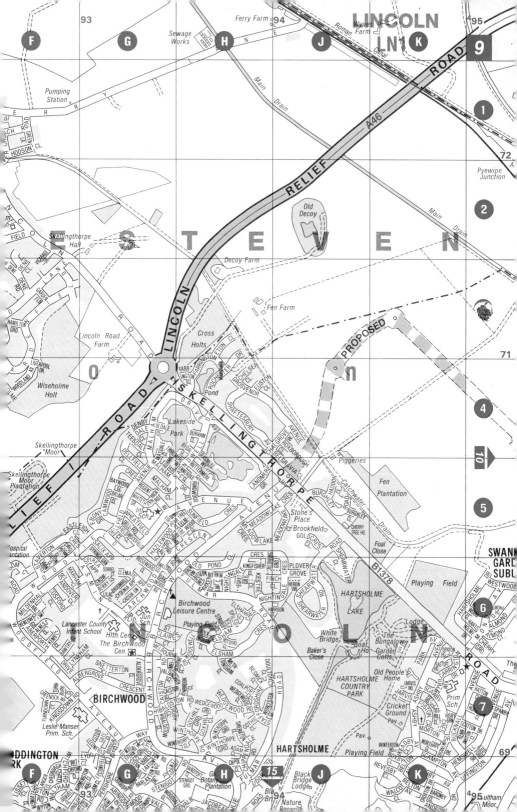

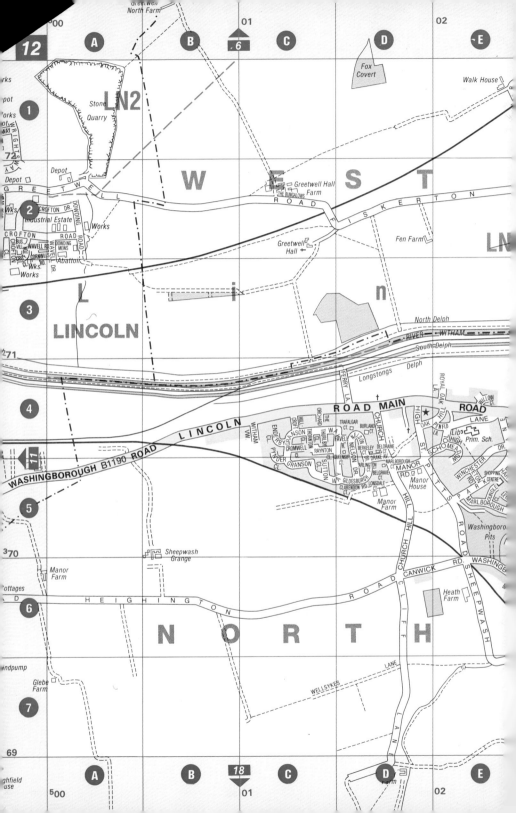

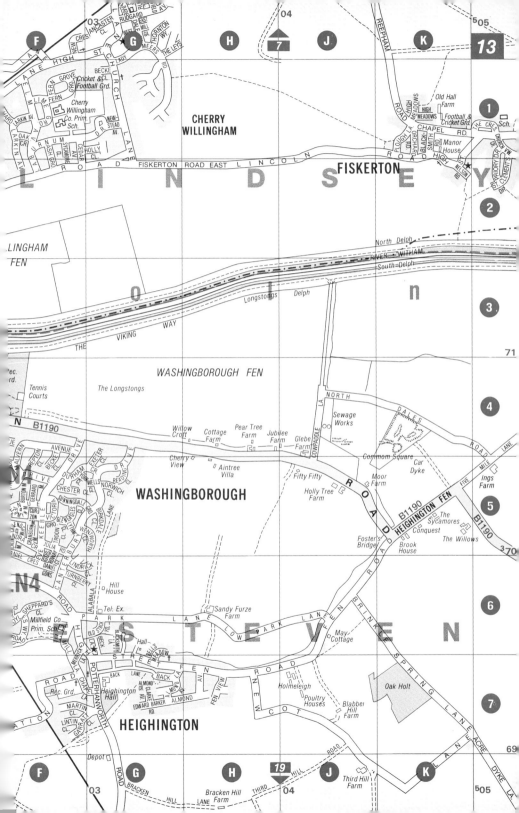

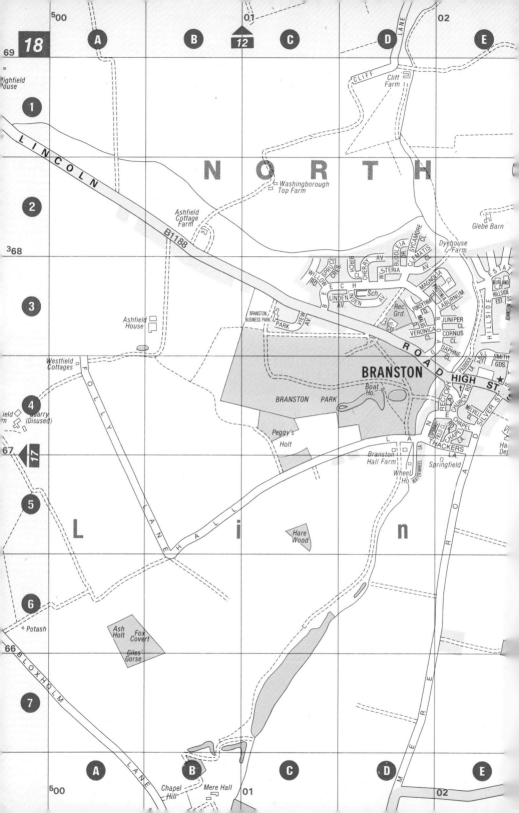

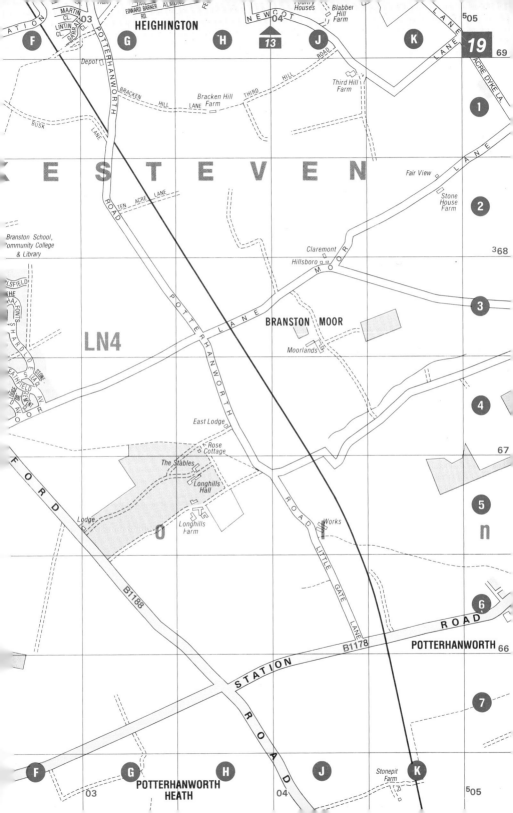

INDEX TO STREETS

HOW TO USE THIS INDEX

1. Each street name is followed by its Postal District and then by its map reference; e.g. Abbey Pl. LN2 —3G **11** is in the Lincoln 2 Postal District and is to be found in square 3G on page **11**.
A strict alphabetical order is followed in which Av., Rd., St., etc. (though abbreviated) are read in full and as part of the street name; e.g. Ash Tree Av. appears after Ashton's Ct. but before Ashworth Clo.

2. Streets and a selection of Subsidiary names not shown on the Maps, appear in the index in *Italics* with the thoroughfare to which it is connected shown in brackets; e.g. *N. Witham Bank. LN5 —3E **10** (off High St. Lincoln,)*

3. With the now general usage of Postcodes for addressing mail, it is not recommended that this index is used for such a purpose.

GENERAL ABBREVIATIONS

All: Alley	Clo: Close	Ind: Industrial	Pl: Place
App: Approach	Comn: Common	Junct: Junction	Rd: Road
Arc: Arcade	Cotts: Cottages	La: Lane	S: South
Av: Avenue	Ct: Court	Lit: Little	Sq: Square
Bk: Back	Cres: Crescent	Lwr: Lower	Sta: Station
Boulevd: Boulevard	Dri: Drive	Mnr: Manor	St: Street
Bri: Bridge	E: East	Mans: Mansions	Ter: Terrace
B'way: Broadway	Embkmt: Embankment	Mkt: Market	Up: Upper
Bldgs: Buildings	Est: Estate	M: Mews	Vs: Villas
Bus: Business	Gdns: Gardens	Mt: Mount	Wlk: Walk
Cen: Centre	Ga: Gate	N: North	W: West
Chu: Church	Gt: Great	Pal: Palace	Yd: Yard
Chyd: Churchyard	Grn: Green	Pde: Parade	
Circ: Circle	Gro: Grove	Pk: Park	
Cir: Circus	Ho: House	Pas: Passage	

INDEX TO STREETS

Abbey Pl. LN2 —3G **11**
Abbey St. LN2 —3G **11**
Abbot St. LN5 —5E **10**
Abel Smith Gdns. LN4
　　　　　—4E **18**
Aberporth Dri. LN6 —6F **9**
Abingdon Av. LN6 —1G **15**
Abingdon Clo. LN6 —1G **15**
Acorn Clo. LN6 —7D **10**
Acre Dyke La. LN4 —7K **13**
Adam Clo. LN6 —7H **9**
Addison Dri. LN2 —7H **5**
Adelaide Clo. LN5 —1D **20**
Aima Ct. LN2 —1B **6**
Aisne Clo. LN1 —6E **4**
Alabala Clo. LN4 —5E **12**
Alabala La. LN4 —6G **13**
Albany St. LN1 —1E **10**
Albert Cres. LN1 —2D **10**
Albion Clo. LN1 —7C **4**
Albion Cres. LN1 —7C **4**
Alconbury Clo. LN6 —1G **15**
Alder Clo. LN6 —5K **15**
Aldergrove Clo. LN6 —7G **9**
Aldergrove Cres. LN6 —7F **9**
Alderman's Wlk. LN1 —2C **10**
Alexandra Av. LN6 —6K **15**
Alexandra Ter. LN1 —2E **10**
Alford Mill Clo. LN6 —7H **15**
Alfred St. LN5 —5E **10**
Allandale Clo. LN1 —5D **4**
Allandale View. LN1 —5D **4**
Allenby Bus. Village. LN3
　　　　　—2K **11**

Allenby Rd. LN3 —2K **11**
Allison Pl. LN1 —2D **10**
Allison St. LN1 —2D **10**
All Saint's La. LN2 —1B **6**
Almond Av. LN4 —7G **13**
Almond Av. LN6 —6A **10**
Almond Clo. LN1 —2F **3**
Almond Ct. LN6 —6A **10**
Almond Cres. LN4 —7G **13**
Almond Cres. LN6 —6A **10**
Almond Gro. LN6 —2E **8**
Almond Ho. LN6 —6A **10**
Alness Clo. LN6 —6F **9**
Altham Ter. LN6 & LN5
　　　　　—7D **10**
Althea Ter. LN3 —4H **7**
Amble Clo. LN1 —5E **4**
Ancaster Av. LN2 —1H **11**
Ancaster Clo. LN3 —7G **7**
Anchor St. LN5 —4E **10**
Anderby Clo. LN6 —1K **15**
Anderby Dri. LN6 —1K **15**
Anderson La. LN1 —7F **5**
Andover Clo. LN6 —6F **9**
Anzio Clo. LN1 —6E **4**
Anzio Cres. LN1 —6E **4**
Anzio Ter. LN1 —6E **4**
Anzio Wlk. LN1 —6E **4**
Apley Clo. LN2 —5G **5**
Arabis Clo. LN2 —5J **5**
Arboretum Av. LN2 —3G **11**
Arboretum View. LN2
　　　　　—3G **11**
Archer St. LN5 —4F **11**

Arden Moor Way. LN6
　　　　　—7H **15**
Arlington Ct. LN4 —5D **12**
Arras Clo. LN1 —7E **4**
Arthur St. LN5 —5F **11**
Arthur Taylor St. LN1
　　　　　—3D **10**
Ashby Av. LN6 —7K **9**
Asheridge. LN4 —3E **18**
Ashfield St. LN2 —3H **11**
Ash Gro. LN3 —1F **13**
Ash Gro. LN6 —5K **15**
Ashlin Gro. LN1 —2D **10**
Ashton's Ct. LN5 —5E **10**
Ash Tree Av. LN2 —2C **6**
Ashworth Clo. LN6 —2K **15**
Asterby Clo. LN2 —6G **5**
Aster Clo. LN2 —5J **5**
Aston Clo. LN5 —2F **21**
Atwater Clo. LN2 —6K **5**
Atwater Ct. LN2 —6K **5**
Atwater Gro. LN2 —6K **5**
Auborne Av. LN2 —6F **5**
Aubourn Av. LN2 —6F **5**
Auden Clo. LN2 —1G **11**
Austen Wlk. LN2 —7J **5**
Avenue Ter. LN1 —2E **10**
Avenue, The. LN1 —2E **10**
Avocet Clo. LN6 —6H **9**
Avondale St. LN2 —3G **11**
Aylesby Clo. LN6 —5G **9**
Aynsley Clo. LN6 —1G **15**
Aynsley Rd. LN6 —1F **15**
Azalea Rd. LN2 —5J **5**

Back La. LN4 —7G **13**
Badgers Clo. LN6 —1E **8**
Baggholme Rd. LN2 —3G **11**
Bailgate. LN1 —2F **11**
Bain St. LN1 —5D **4**
Baker St. LN5 —4E **10**
Balmoral Ho. LN2 —5H **5**
Bamford Clo. LN6 —5J **15**
Bank St. LN2 —3F **11**
Bardney Clo. LN6 —1K **15**
Barfields La. LN3 & LN2
　　　　　—3H **7**
Bargate. LN5 —6D **10**
Barkston Gdns. LN2 —6H **5**
Bar La. LN5 —3F **21**
Barleyfield Clo. LN4 —6E **12**
Barlings Clo. LN6 —7K **9**
Barratt's Clo. LN6 —7J **5**
Bassingham Cres. LN2 —6F **5**
Bathurst St. LN2 —2K **11**
Bawtry Clo. LN6 —6F **9**
Baywood Clo. LN6 —5G **9**
Beaufort Clo. LN2 —5K **5**
Beaufort Rd. LN2 —5K **5**
Beaumont Fee. LN1 —3E **10**
Beavers Clo. LN1 —6E **4**
Becke Clo. LN3 —1G **13**
Becket Clo. LN4 —5F **13**
Beck La. LN4 —6G **13**
Beckside. LN2 —2B **6**
Beckside. LN6 —7K **15**
Bedford St. LN1 —2D **10**
Beech Av. LN2 —2A **6**
Beech Clo. LN2 —1G **7**

Beech Rd. LN4 —3C **18**
Beevor St. LN6 —3C **10**
Belgrave Clo. LN4 —5D **12**
Belgrave Ct. LN4 —5D **12**
Belgravia Clo. LN6 —5J **9**
Belle Vue Rd. LN1 —2E **10**
Belle Vue Ter. LN1 —2E **10**
Bellflower Clo. LN2 —5J **5**
Bell's Meadow. LN4 —6G **13**
Bell St. LN5 —6E **10**
Bellwood Grange. LN3 —6G **7**
Belmont St. LN2 —3H **11**
Belton Av. LN6 —1K **15**
Belton Pk. Clo. LN6 —7K **15**
Belvedere Ho. LN2 —5F **5**
Bennington Clo. LN6 —7K **9**
Benson Clo. LN6 —1G **15**
Benson Cres. LN6 —1G **15**
Bentinck Sq. LN2 —3H **11**
Bentinck St. LN2 —3H **11**
Beresford Dri. LN2 —1H **7**
Berkeley Ct. LN4 —4D **12**
Bernard St. LN2 —3H **11**
Beswick Clo. LN6 —7H **9**
Beverley Gro. LN6 —4K **15**
Bilsby Clo. LN2 —6G **5**
Binbrook Clo. LN6 —7H **9**
Birch Clo. LN4 —3D **18**
Birch Clo. LN6 —5K **15**
Birches, The. LN6 —7F **15**
Birchwood Av. LN6 —2H **15**
Birchwood Centre, The. LN6
—6G **9**
Birchwood Grange LN6 —5J **9**
Birds Holt Clo. LN6 —3E **8**
Birkdale Clo. LN4 —5G **13**
Bishop King Ct. LN5 —5F **11**
Bishops Rd. LN2 —1J **11**
Bittern Way. LN6 —6H **9**
Black La. LN6 —1A **14**
Blacks Clo. LN5 —3F **21**
Blacksmith La. LN4 —6G **13**
Blacksmith La. LN5 —7E **20**
Blacksmith La. LN6 —7B **14**
Blacksmith Rd. LN3 —1K **13**
Blacthorn Clo. LN2 —5J **5**
Blankney Clo. LN1 —2D **2**
Blankney Cres. LN2 —5F **5**
Blenheim Clo. LN6 —2D **8**
Blenheim Rd. LN1 —2D **10**
Blind La. LN5 —3E **20**
Blyton Clo. LN6 —7G **9**
Blyton Gro. LN6 —7G **9**
Blyton Rd. LN6 —7G **9**
Bodmin Moor Clo. LN6
—6H **15**
Boscombe Clo. LN6 —1G **15**
Boswell Gro. LN6 —2K **15**
Bottespurd Clo. LN6 —6H **9**
Boultham Av. LN5 —5D **10**
Boultham Pk. Rd. LN6
—7C **10**
Boundary La. LN6 —7E **14**
Bracken Hill La. LN4 —1G **19**
Brancaster Dri. LN6 —6C **10**
Branston Bus. Pk. LN4
—3C **18**
Branston Rd. LN4 —2E **18**

Brant Rd. LN5 —3B **20**
Brattleby Cres. LN2 —6F **5**
Brayford Pool Footpath. LN6
—3D **10**
Brayford St. LN5 —3E **10**
Brayford Wharf E. LN5
—4E **10**
Brayford Wharf N. LN1
—3E **10**
Breedon Dri. LN1 —6D **4**
Briar Clo. LN6 —5G **9**
Bridge Pl. LN1 —3F **3**
Bridge St. LN1 —3E **2**
Bridge St. LN2 —2B **6**
Brigg Clo. LN6 —1G **15**
Brigg Gro. LN6 —1G **15**
Brigg Rd. LN1 —1E **4**
Brinkle Spring La. LN4
—6J **13**
Brisbane Clo. LN5 —1D **20**
Bristol Dri. LN6 —6C **10**
Broadgate. LN2 —3F **11**
Broadholme Rd. LN1 —4E **2**
Broadway. LN2 —7F **5**
Broadway. LN6 —5K **15**
Broadway Clo. LN2 —7G **5**
Brookfield Av. LN2 —1C **6**
Brookfield Clo. LN6 —1E **8**
Brook St. LN2 —3F **11**
Broomhill. LN6 —6G **9**
Brough Clo. LN6 —7G **9**
Broughton La. LN5 —7A **20**
Browning Dri. LN2 —6H **5**
Brown La. LN1 —7A **2**
Broxholme Gdns. LN2 —5F **5**
Broxholme La. LN1 —1F **3**
Bruce Clo. LN2 —7G **5**
Bruce Rd. LN2 —7G **5**
Brumby Cres. LN5 —2E **20**
Buchanan St. LN1 —5D **4**
Buckfast Rd. LN1 —7E **4**
Buckingham Ho. LN2 —5G **5**
Bucknall Av. LN6 —7K **9**
Buddleia Dri. LN4 —3D **18**
Bullingham Rd. LN2 —7K **5**
Bungalows, The. LN3
—2C **12**
Bunkers Hill. LN2 —7K **5**
Bure Clo. LN6 —4K **15**
Burghley Clo. LN2 —5J **9**
Burghley Pk. Clo. LN6
—6K **15**
Burghley Rd. LN6 —5J **9**
Burland Ct. LN4 —3E **18**
(Branston)
Burland Ct. LN4 —4D **12**
(Washingborough)
Burneside Clo. LN2 —5H **5**
Burnmoor Clo. LN6 —5G **9**
Burns Gdns. LN2 —7J **5**
Burtonfield Clo. LN3 —7G **7**
Burton M. LN4 —5F **13**
Burton Ridge. LN1 —6D **4**
Burton Rd. LN1 —6D **4**
Burwell Clo. LN2 —5G **5**
Butchery Ct. LN2 —3F **11**
Buttermere Clo. LN6 —5H **9**
Buttery Clo. LN6 —3K **15**

Byron Av. LN2 —7G **5**

Cabourne Av. LN2 —6H **5**
Caenby St. LN1 —7D **4**
Caistor Clo. LN6 —7G **9**
Caistor Rd. LN6 —7G **9**
Cambridge Av. LN1 —1D **10**
Cambridge Dri. LN4 —5E **12**
Camwood Cres. LN6 —5G **9**
Canberra Sq. LN5 —3G **21**
Cannon St. LN2 —3G **11**
(in two parts)
Canterbury Dri. LN4 —6F **13**
Canwick Hill. LN4 —6G **11**
Canwick Rd. LN4 —6D **12**
Canwick Rd. LN5 —4F **11**
(in two parts)
Capp's La. LN5 —3E **20**
Cardinal Clo. LN2 —1J **11**
Carholme Rd. LN1 —2C **10**
Carline Rd. LN1 —2E **10**
Carlisle Clo. LN6 —6K **15**
Carlton Gro. LN2 —6F **5**
Carlton M. LN4 —5F **13**
Carlton St. LN1 —1E **10**
Carlton Wlk. LN2 —6F **5**
Carlyle Wlk. LN2 —7H **5**
Carrington Dri. LN6 —7K **9**
Carrisbrooke Clo. LN1 —7E **4**
Carr La. LN6 —4A **8**
Carr St. LN1 —2D **10**
Cassia Grn. LN6 —6G **9**
Castle Hill. LN1 —2F **11**
Castle La. LN1 —2E **10**
Castle St. LN1 —7E **4**
Cathedral St. LN2 —2F **11**
Cavendish M. LN4 —5F **13**
Cecil M. LN1 —1E **10**
Cecil St. LN1 —1E **10**
Cedar Av. LN3 —1F **13**
Cedar Clo. LN2 —1H **7**
Centaur Rd. LN6 —4D **10**
Centurion Rd. LN6 —4D **10**
Chalfonts, The. LN4 —3F **19**
Chalgrove Way. LN6 —4H **9**
Chapel Clo. LN3 —5H **7**
Chapel La. LN1 —1E **10**
Chapel La. LN2 —2B **6**
Chapel La. LN4 —4E **18**
(Branston)
Chapel La. LN4 —7F **13**
(Heighington)
Chapel La. LN5 —7E **20**
Chapel La. LN6 —7K **15**
Chapel Rd. LN3 —1K **13**
Chapel Rd. LN4 —4E **18**
Chaplin St. LN5 —4E **10**
Charles St. LN5 —4F **11**
Charles St. W. LN1 —2D **10**
Charlesworth St. LN1 —3D **10**
Chartridge. LN4 —3F **19**
Chatsworth Clo. LN2 —5J **5**
Chatsworth Dri. LN6 —5J **15**
Chatterton Av. LN1 —5E **4**
Chaucer Dri. LN2 —7J **5**
Chedburgh Clo. LN6 —1F **15**
Chedworth Rd. LN2 —6K **5**

Chelmer Clo. LN6 —3K **15**
Chelmsford St. LN5 —4F **11**
Chelsea Clo. LN6 —4H **9**
Cherry Av. LN4 —3D **18**
Cherry Gro. LN6 —6A **10**
Cherry Tree Clo. LN6 —5K **15**
Cherry Tree Ho. LN6 —5J **9**
Cherry Tree La. LN2 —2A **6**
Cheshire Rd. LN6 —1E **14**
Chesney Rd. LN2 —6K **5**
Chester Clo. LN4 —5F **13**
Chestnut Clo. LN2 —1H **7**
Chestnut Dri. LN2 —1H **7**
Chestnut Rd. LN6 —5K **15**
Chestnuts, The. LN2 —1B **6**
Chestnut St. LN1 —1E **10**
Cheviot St. LN2 —3G **11**
Chieftain Way. LN6 —6C **10**
Chippendale Clo. LN6 —1H **15**
Chippendale Rd. LN6 —1H **15**
Chivenor Clo. LN6 —5F **9**
Christ's Hospital Ter. LN2
—2F **11**
Church Dri. LN6 —5D **10**
Church Hill. LN4 —4D **12**
Church La. LN2 —1F **11**
Church La. LN2 —1G **7**
Church La. LN3 —1G **13**
(Cherry Willingham)
Church La. LN3 —5H **7**
(Reepham)
Church La. LN4 —6K **19**
Church La. LN5 —3E **20**
Church La. LN5 —7E **20**
Church Rd. LN1 —2E **2**
Church Rd. LN4 —4E **18**
Church Rd. LN6 —2E **8**
Church St. LN2 —2B **6**
Church View. LN2 —2B **6**
Church View Cres. LN3
—1K **13**
Clara Ter. LN1 —2E **10**
Claremont St. LN2 —3G **11**
Clarence Ho. LN2 —6G **5**
Clarence St. LN1 —7E **4**
Clarendon Ct. LN4 —5D **12**
Clarendon Gdns. LN1 —5E **4**
Clarendon View. LN1 —5E **4**
Clarina St. LN2 —3H **11**
Clarke Av. LN4 —7G **13**
Clarke Rd. LN6 —3J **15**
(Lincoln)
Clarke Rd. LN6 —7J **15**
(North Hykeham)
Clasketgate. LN2 —3F **11**
Clay La. LN6 —7A **14**
Clematis App. LN6 —6G **9**
Clematis Clo. LN4 —3D **18**
Clement Clo. LN4 —4F **19**
Cliff Av. LN2 —2A **6**
Cliff La. LN4 —6D **12**
Clifton St. LN5 —4G **11**
Clive Av. LN6 —6C **10**
Clumber St. LN5 —7E **10**
Coalport Clo. LN6 —7H **9**
Cockburn Clo. LN5 —7E **20**
Cockburn Clo. LN5 —7E **20**
Coleby St. LN2 —3H **11**

Colegrave St. LN5 —7E **10**
Colenso Ter. LN1 —2D **10**
Coleridge Gdns. LN2 —6J **5**
Coleridge Grn. LN2 —6J **5**
College Clo. LN1 —7E **4**
Collingwood. LN6 —7J **15**
Colne Clo. LN6 —4K **15**
Coningsby St. LN2 —3G **11**
Constance Av. LN6 —3J **15**
Coopers Clo. LN2 —1B **6**
Coopers Holt Clo. LN6 —3E **8**
Corn Clo. LN3 —1K **13**
Cornhill. LN5 —3F **11**
Cornus Clo. LN4 —3E **18**
Cornwall Ho. LN2 —6G **5**
Cornwallis Rd. LN3 —2K **11**
Corporation St. LN2 —3F **11**
Cosford Clo. LN6 —6F **9**
Cottesford Pl. LN2 —1F **11**
Cottesmore Rd. LN6 —1G **15**
Cottingham Dri. LN2 —7H **5**
Cotton-Smith Way. LN2
　　—1B **6**
Coulson Rd. LN6 —5D **10**
Coult Av. LN6 —7J **15**
Courtfield Clo. LN2 —1H **7**
Cowpaddle La. LN4 —4J **13**
Cowper Dri. LN2 —6J **5**
Cranbourn M. LN4 —5F **13**
Crane Gro. LN6 —7C **10**
Cranwell St. LN5 —5E **10**
Craven St. LN5 —6D **10**
Crescent Clo. LN2 —1C **6**
Crescent, The. LN2 —1B **6**
Crescent, The. LN3 —1K **13**
Cresta Clo. LN6 —6H **15**
Croft La. LN3 —6G **7**
Crofton Clo. LN3 —2K **11**
Crofton Dri. LN3 —2K **11**
Crofton Rd. LN3 —2K **11**
Croft St. LN2 —3F **11**
Croft, The. LN2 —2C **6**
Cromwell Clo. LN4 —4C **12**
Cromwell St. LN2 —3H **11**
Cross La. LN6 —7K **15**
Cross O'Cliff Hill. LN5 & LN4
　　—7E **10**
Cross Spencer St. LN5
　　—6E **10**
Cross St. LN2 —2B **6**
Cross St. LN4 —6K **19**
Cross St. LN5 —5F **11**
Crowland Dri. LN6 —7K **9**
Crow Pk. LN6 —7E **14**
Croxton Dri. LN6 —1K **15**
Crusader Rd. LN6 —5C **10**
Curle Av. LN2 —1G **11**
Curtois Clo. LN4 —4E **18**
Curzon M. LN4 —5F **13**
Cydonia App. LN6 —6G **9**

Dalderby Cres. LN2 —2A **6**
Dale Av. LN3 —7G **7**
Dales, The. LN2 —2B **6**
Dale St. LN5 —4H **11**
Danes Courtyard. LN2 —2F **11**
Danesgate. LN2 —2F **11**

Danes Ter. LN2 —2F **11**
Daniel Cres. LN4 —5F **13**
Daniel Gdns. LN4 —6F **13**
Daphne Clo. LN4 —3E **18**
David Av. LN1 —5D **4**
Dawsons La. LN3 —5H **7**
Deacon Rd. LN2 —1J **11**
Dean Rd. LN2 —1J **11**
Deepdale La. LN2 —1A **6**
Dees, The. LN6 —6C **8**
Dellfield Av. LN6 —5G **9**
Dellfield Clo. LN6 —4G **9**
Dellfield Ct. LN6 —5G **9**
Deloraine Ct. LN4 —4D **12**
Delph Rd. LN6 —7K **15**
Denby Dale Clo. LN6 —4G **9**
Dene Clo. LN6 —3F **9**
Dene Rd. LN6 —3F **9**
Dene, The. LN2 —1B **6**
Dene, The. LN6 —3F **9**
Denton Ho. LN6 —6K **9**
Denzlingen Clo. LN6 —6G **15**
Depot St. LN1 —3D **10**
Derby St. LN5 —6E **10**
Derek Miller Ct. LN1 —3E **10**
Derwent St. LN1 —2C **10**
Devon St. LN2 —3J **11**
Digby Clo. LN6 —7G **9**
Dixon Clo. LN6 —5D **10**
Dixon St. LN6 —5C **10**
Dixon Way. LN6 —5D **10**
Doddington Rd. LN6 —1F **15**
　　(Lincoln)
Doddington Rd. LN6 —2A **14**
　　(Whisby)
Dore Av. LN6 —5J **15**
Dorset St. LN2 —3J **11**
Doulton Clo. LN6 —7H **9**
Dove Dale. LN6 —5K **15**
Dowding M. LN3 —2A **12**
Dowding Rd. LN3 —2A **12**
Drake Av. LN4 —4D **12**
Drake St. LN1 —2D **10**
Drinsey Nook La. LN1 —7A **2**
Drury La. LN1 —2E **10**
Dryden Av. LN2 —7H **5**
Dunford Rd. LN5 —4F **11**
Dunholme Ct. LN2 —5G **5**
Dunkirk Rd. LN1 —7D **4**
Dunlop St. LN5 —5F **11**
Dunston Clo. LN2 —5G **5**
Durham Clo. LN6 —4H **9**
Durham Cres. LN4 —5F **13**

Eagle La. LN6 —7A **14**
Eagle Rd. LN6 —2A **14**
Earlsfield. LN4 —3F **19**
E. Bight. LN2 —1F **11**
Eastbourne St. LN2 —3G **11**
Eastcliff Rd. LN2 —2G **11**
East Croft. LN3 —6G **7**
Eastern Gatehouse Access Rd.
　　LN1 —1E **10**
Eastfield St. LN2 —3H **11**
Eastgate. LN2 —2F **11**
Eastgate Clo. LN2 —2F **11**
Eastleigh Clo. LN6 —5F **9**

E. Liberty. LN2 —2J **11**
E. Mill Ga. LN3 —7G **7**
Eastoft Ho. LN6 —7K **9**
East St. LN2 —1B **6**
Eastway. LN2 —2C **6**
E. Wragby Rd. LN2 —3G **7**
Ebony Gro. LN6 —5G **9**
Edendale Gdns. LN1 —5E **4**
Edendale View. LN1 —5E **4**
Edinburgh Ho. LN2 —6G **5**
Edinburgh Sq. LN5 —2F **21**
Edlington Clo. LN2 —5F **5**
Edna St. LN5 —5F **11**
Edward Barker Rd. LN4
　　—7G **13**
Edward St. LN5 —6D **10**
Egerton Rd. LN2 —1H **11**
Egret Gro. LN6 —6H **9**
Eleanor Clo. LN5 —7E **10**
Elizabeth Av. LN6 —6K **15**
Ellesmere Av. LN2 —3K **11**
Elliott Rd. LN5 —5G **11**
Ellison Clo. LN2 —1H **7**
Elm Av. LN3 —1F **13**
Elm Clo. LN1 —2F **3**
Elm Clo. LN6 —5K **15**
Elm Dri. LN2 —1H **7**
Elmwood Clo. LN6 —5H **9**
Elsham Clo. LN6 —6H **9**
Elsham Cres. LN6 —6H **9**
Elvin Clo. LN2 —7F **5**
Elvington Clo. LN6 —1F **15**
Elvington Rd. LN6 —1F **15**
Ely St. LN1 —1D **10**
Enderby Clo. LN4 —4C **12**
Ennerdale Clo. LN6 —5H **9**
Epsom Clo. LN6 —6F **9**
Epsom Rd. LN6 —6F **9**
Epworth View. LN1 —5E **4**
Ermine Clo. LN1 —5E **4**
Ermine St. LN2 —1E **4**
Ernest Ter. LN1 —1F **11**
Escombe View. LN1 —5D **4**
Esk Clo. LN6 —3K **15**
Eton Clo. LN6 —3H **9**
Eton Rd. LN4 —5E **12**
Euston Clo. LN6 —4H **9**
Eve Gdns. LN4 —5F **13**
Exchange Arc. LN5 —3F **11**
Exchange Rd. LN6 —3J **15**
Exeter Clo. LN4 —5G **13**
Exmoor Clo. LN6 —6H **15**
Eyam Way. LN6 —6K **15**

Fairfield St. LN2 —3H **11**
Fairleas. LN4 —3E **18**
Falcon View. LN6 —6H **9**
Faldingworth Clo. LN6 —7G **9**
Falklands Clo. LN1 —5E **4**
Far La. LN5 —3E **20**
Farrier Rd. LN2 —2F **15**
Farrington Clo. LN6 —4H **9**
Farrington Cres. LN6 —4H **9**
Far Wharf. LN1 —3D **10**
Favell Rd. LN4 —4D **12**
Fawsley Clo. LN2 —6A **6**
Featherby Pl. LN5 —6E **10**

Fen La. LN1 —1A **4**
Fen Rd. LN1 —4A **4**
Fen Rd. LN4 —4E **12**
　　(in two parts)
Fenton Pl. LN2 —3G **11**
Fen View. LN4 —7H **13**
Fern Gro. LN3 —1F **13**
Ferry La. LN4 —4D **12**
Ferry La. LN6 —1F **9**
Ferry Rd. LN3 —1K **13**
Ferryside. LN3 —1K **13**
Ferryside Gdns. LN3 —1K **13**
Field Clo. LN2 —2C **6**
Finch Clo. LN6 —6H **9**
Finningley Clo. LN6 —1H **15**
Finningley Rd. LN6 —2H **15**
Firth Rd. LN6 & LN5 —4D **10**
Firtree Av. LN6 —5G **9**
Fir Tree Clo. LN2 —1G **7**
Fiskerton Dri. LN2 —5F **5**
Fiskerton Rd. LN3 —2D **12**
　　(Cherry Willingham)
Fiskerton Rd. LN3 —5J **7**
　　(Reepham)
Fiskerton Rd. E. LN3 —2G **13**
Five Mile La. LN4 —5K **13**
Flaxengate. LN2 —3F **11**
Fleet St. LN1 —2C **10**
Florence St. LN2 —3H **11**
Folkingham Clo. LN6 —6H **9**
Folly La. LN4 —4A **18**
Forsythia Clo. LN4 —3D **18**
Forum, The. LN4 —4K **15**
Foss Bank. LN1 —3D **10**
Fossdyke Gdns. LN1 —3F **3**
Fossdyke Ho. LN1 —3E **2**
Fosse Dri. LN6 —4K **15**
Fosse Gro. LN1 —3F **3**
Fosse La. LN6 —7B **14**
Foss St. LN1 —3D **10**
Foster St. LN5 —5E **10**
Foston Cres. LN6 —7K **9**
Foxfield Clo. LN6 —1F **9**
Francis St. LN1 —1F **11**
Francis Willis Unit. LN2
　　—2J **11**
Frank St. LN5 —6E **10**
Frank Wright Ct. LN2 —6J **5**
Frederick St. LN2 —3J **11**
Freeman Rd. LN6 —4H **15**
Free School La. LN2 —3F **11**
Friars La. LN2 —3F **11**
Fruit Mkt. LN2 —3F **11**
Fulmar Rd. LN6 —6H **9**
　　(in two parts)
Fulstow Rd. LN2 —5H **5**
Furndown Ct. LN6 —7F **9**

Gail Gro. LN4 —6E **12**
Gainsborough Rd. LN1 —5A **2**
Gardenfield. LN6 —4F **9**
Garfield Clo. LN1 —5D **4**
Garfield View. LN1 —5D **4**
Garmston St. LN2 —2F **11**
Garratt Clo. LN4 —7F **13**
Gary St. LN1 —1E **10**
Gaunt St. LN5 —4E **10**

Gayton Clo. LN2 —6G 5
Geneva Av. LN2 —7H 5
George St. LN5 —4H 11
Gerald's Clo. LN2 —1H 11
Gerrards M. LN4 —5F 13
Gibbeson St. LN5 —6E 10
Gibraltar Hill. LN1 —2F 11
Gibson Ho. LN2 —5G 5
Gildesburgh Rd. LN4 —5D 12
Gleedale. LN6 —5J 15
Glenbank Clo. LN6 —4K 15
Gleneagles Clo. LN4 —5F 13
Glenwood Gro. LN6 —5D 10
Gloucester Ho. LN2 —6G 5
Glynn Rd. LN1 —5E 4
Glynn View. LN1 —5E 4
Goldcrest Clo. LN6 —5J 9
Goldfinch Clo. LN6 —3E 8
Goldsmith Wlk. LN2 —6J 5
Good La. LN1 —1F 11
Gordon Rd. LN1 —2F 11
Gothic Clo. LN6 —7H 9
Goxhill Clo. LN6 —7H 9
Grace Av. LN6 —4G 15
Grace St. LN5 —5F 11
Grafton St. LN2 —3H 11
Granary Clo. LN5 —4F 21
Grange Clo. LN4 —6H 11
Grange La. LN2 —4F 5
Grange La. LN4 —6H 11
(Canwick)
Granson Way. LN4 —4C 12
Grantham Rd. LN5 & LN4
—2F 21
Grantham St. LN2 —3F 11
Grasmere Way. LN6 —5H 9
Grassmoor Clo. LN6 —7H 15
Gravely Clo. LN6 —1F 15
Gray St. LN1 —1E 10
Gt. Northern Ter. LN5 —4G 11
Greenfields. LN2 —2C 6
Green La. LN1 —4B 2
Green La. LN3 —1E 12
Green La. LN6 —4D 10
(New Boultham)
Green La. LN6 —6K 15
(North Hykeham)
Green La. LN6 —1F 9
(Skellingthorpe)
Greenock Way. LN6 —7F 9
Green, The. LN2 —2B 6
Green, The. LN5 —5H 7
Greenway. LN2 —1H 7
Greestone Pl. LN2 —2F 11
Greestone Ter. LN2 —2F 11
Greetstone Pl. LN2 —2F 11
Greetstone Ter. LN2 —2F 11
Greetwell Clo. LN2 —1H 11
Greetwell Ga. LN2 —2G 11
Greetwell La. LN2 & LN3
—2A 6
Greetwell Pl. LN2 —1H 11
Greetwell Rd. LN2 —2G 11
Gresham St. LN1 —2D 10
Greyling Clo. LN1 —5E 4
Greyling View. LN1 —5E 4
Griffin's La. LN5 —1D 20
Grinter Clo. LN6 —7K 15

Grosvenor Av. LN6 —4H 9
Grosvenor M. LN4 —5F 13
Grove, The. LN2 —1G 11
Guildhall St. LN1 —3E 10
Gunby Av. LN6 —1K 15
Gynewell Gro. LN2 —6J 5

Hackthorne Pl. LN2 —5F 5
Haddon Clo. LN6 —5J 9
Hadleigh Dri. LN6 —2K 15
Haffenden Rd. LN2 —7G 5
Hale Clo. LN2 —6A 6
Halifax Clo. LN6 —2E 8
Hallam Gro. LN6 —7C 10
Hall Dri. LN4 —6G 11
Hall Dri. LN6 —7C 10
Hall Gdns. LN4 —6H 11
Hall La. LN2 —1J 5
Hall La. LN4 —5B 18
Halton Clo. LN6 —6F 9
Hamilton Gro. LN6 —3F 9
Hamilton Rd. LN5 —7E 10
Hamilton Rd. LN6 —5H 15
Hampden Clo. LN6 —2D 8
Hampden Way. LN5 —2G 21
Hampton St. LN1 —2D 10
Hannah Ho. LN2 —5H 5
Hanover Ho. LN2 —5F 5
Hardwick Pl. LN2 —5G 5
Harewood Cres. LN6 —5K 15
Harewood Ho. LN2 —5F 5
Harlaxton Clo. LN6 —1G 15
Harlaxton Dri. LN6 —1G 15
Harpswell Rd. LN2 —6G 5
Harrington Av. LN6 —6C 10
Harrison Ct. LN6 —6J 9
Harrison Pl. LN1 —1E 10
Harris Rd. LN5 —2F 21
Harrow Clo. LN4 —5E 12
Hartley St. LN2 —3J 11
Hartsholme Dri. LN6 —6K 9
Harvard Clo. LN4 —5F 13
Harvey St. LN1 —3D 10
Hatcliffe Gdns. LN2 —5G 5
Hathersage Av. LN6 —5J 15
Hatton Clo. LN6 —7A 10
Hawkshead Gro. LN2 —5G 5
Hawksmoor Clo. LN6 —6H 15
Hawthorn Av. LN3 —7D 6
Hawthorn Chase. LN2 & LN3
—6A 6
Hawthorn Rd. LN2 & LN3
—6A 6
Haydor Av. LN2 —5H 5
Haze La. LN6 —6G 15
Hazlewood Av. LN6 —5G 9
Heathfield Av. LN4 —4F 19
Heath Rd. LN2 —1B 6
Hebden Moor Way. LN6
—7H 15
Heighington Fen. LN4 —5K 13
Heighington Rd. LN4 —6H 11
Hemswell Av. LN6 —1K 15
Henley St. LN5 —6D 10
Henlow Clo. LN6 —6F 9
Henry St. LN5 —5F 11
Hereward St. LN1 —1F 11

Hermit St. LN5 —4E 10
Heron View. LN6 —6J 9
Herrington Av. LN2 —1B 6
Hewson Rd. LN1 —2C 10
Hibaldstow Clo. LN6 —7G 9
Hibaldstow Rd. LN6 —7G 9
Hickory Rd. LN6 —5G 9
High Dike. LN5 —1F 21
(in two parts)
Highfield Rd. LN1 —2E 2
Highfields. LN2 —1C 6
High Leas. LN2 —1C 6
High Meadow. LN4 —4E 12
High Meadows. LN3 —1K 13
High St. Branston, LN4
—4E 18
High St. Cherry Willingham,
LN3 —1F 13
High St. Fiskerton, LN3
—1K 13
High St. Harmston, LN5
—7E 20
High St. Heighington, LN4
—6F 13
High St. Lincoln, LN5 & LN2
—6E 10
High St. Nettleham, LN2
—2B 6
High St. Reepham, LN3
—5H 7
High St. Saxilby, LN1 —2E 2
High St. Skellingthorpe, LN6
—2E 8
High St. Thorpe on the Hill,
LN6 —7B 14
High St. Waddington, LN5
—3F 21
High St. Washingborough,
LN4 —4D 12
Higson Rd. LN1 —6D 4
Hillcroft. LN4 —4C 12
Hillside App. LN2 —3J 11
Hillside Av. LN2 —3J 11
Hillside Est. LN4 —3E 18
Hill, The. LN6 —2E 8
Hill Top. LN5 —3E 20
Hill Top. LN5 —7E 20
Hodson Clo. LN6 —1F 9
Holdenny Clo. LN2 —6A 6
Holdenny Rd. LN2 —6A 6
Holly Clo. LN3 —1G 13
Holme Dri. LN2 —1G 7
Holmes Rd. LN1 —3D 10
Holt Clo. LN6 —7J 15
Holyrood Ho. LN2 —5F 5
Honington App. LN1 —6D 4
Honington Cres. LN1 —5D 4
Hood St. LN5 —5F 11
Hope St. LN5 —5F 11
Horton St. LN2 —3H 11
Houghton Ct. LN2 —5G 5
Howard St. LN1 —2C 10
Hungate. LN1 —3F 11
Hunters Clo. LN5 —3F 21
Hunt Lea Av. LN6 —6B 10
Hurn Clo. LN6 —6F 9
Hurstwood Clo. LN2 —5K 5
Hutson Dri. LN6 —5K 15

Hyde Pk. Clo. LN6 —6K 15

Ingleby Cres. LN2 —5F 5
Inns Clo. LN6 —4J 15

Jacobean Rd. LN6 —1H 15
Jaguar Dri. LN6 —6H 15
James St. LN2 —2F 11
Jarvis Clo. LN6 —7K 9
Jarvis Ho. LN6 —7K 9
Jasmin Rd. LN6 —6G 9
Jellicoe Av. LN2 —2K 11
Jermyn M. LN4 —5F 13
Jerusalem. LN6 —5D 8
Jerusalem Rd. LN6 —3D 8
Jesmond View. LN1 —5E 4
Johnson Vs. LN4 —3E 18
John St. LN2 —3G 11
Jubilee Clo. LN3 —7G 7
Jubilee Clo. LN6 —6K 15
Julia Rd. LN4 —5F 13
Juniper Clo. LN4 —3E 18

Keadby Clo. LN6 —7K 9
Keats Clo. LN2 —6J 5
Keddington Av. LN1 —5E 4
Keeble Dri. LN4 —5F 13
Kelsey St. LN5 —3E 10
Kelstern Clo. LN6 —7G 9
Kelstern Rd. LN6 —1G 15
Kemble Clo. LN6 —6F 9
Kemington Clo. LN6 —1G 15
Kennel La. LN3 —4F 7
Kennel La. LN6 —5A 8
Kennel Wlk. LN3 —5H 7
Kenneth St. LN1 —7F 5
Kensington Ho. LN2 —6H 5
Kent St. LN2 —3J 11
Kerrison View. LN2 —1C 6
Kershaw View. LN1 —5D 4
Kesteven St. LN5 —4F 11
Kestrel Clo. LN6 —6H 9
Kexby Mill Clo. LN6 —7H 15
Kingfisher Clo. LN6 —6H 9
Kings Arms Yd. LN2 —3F 11
Kingsdown Rd. LN6 —7F 9
Kingsley Rd. LN6 —1F 15
Kingsley St. LN1 —1E 10
King St. LN5 —4E 10
Kingsway. LN2 —2A 6
Kingsway. LN5 —5F 11
Kinloss Clo. LN6 —1G 15
Kipling Clo. LN6 —6H 5
Kirkby St. LN5 —5F 11
Kirmington Clo. LN6 —1F 15
Knight Pl. LN5 —6E 10
Knight St. LN5 —6E 10
Knight Ter. LN5 —5E 10

Laburnum Clo. LN4 —3E 18
Laburnum Clo. LN6 —5K 15
Laburnum Dri. LN3 —2F 13
Laceby St. LN2 —3H 11
Ladd's Mill Clo. LN6 —7H 15

Lady Meers Rd. LN3 —1G **13**
Lamb Gdns. LN2 —6H **5**
Lancaster Clo. LN5 —3G **21**
Lancaster Pl. LN5 —5F **11**
Lancaster Way. LN6 —2D **8**
Lancewood Gdns. LN6 —6G **9**
Landmere Gro. LN6 —5H **9**
Laney Clo. LN2 —6J **5**
Langley Rd. LN6 —5H **15**
Langor Clo. LN6 —1F **15**
Langton Clo. LN2 —6H **5**
Langworth Ga. LN2 —2G **11**
Lapwing Clo. LN6 —3E **8**
Larchwood Cres. LN6 —6G **9**
Larkin Av. LN3 —1F **13**
Larkspur Rd. LN2 —5K **5**
Laughton Cres. LN2 —5G **5**
Laughton Way. LN2 —5G **5**
Laughton Way. N. LN2 —5F **5**
Lawn Ct. LN1 —2E **10**
Lawn, The. LN1 —2E **10**
Lawrence Clo. LN6 —7B **10**
Learoyd Ho. LN2 —5H **5**
Lechler Clo. LN2 —1C **6**
Leconfield Clo. LN6 —1G **15**
Leconfield Rd. LN6 —7G **9**
Lee Av. LN4 —6F **13**
Leeming Clo. LN6 —1H **15**
Lee Rd. LN2 —7G **5**
Legbourne Clo. LN1 —6D **4**
Le Grand Luce Ct. LN3 —7G **7**
Leicester Clo. LN4 —5E **12**
Lenton Grn. LN2 —6H **5**
Lewis St. LN5 —4F **11**
Leyburn Rd. LN6 —3K **15**
Leys, The. LN2 —2D **6**
Lievelsley Rd. LN1 —7D **4**
Lilac Clo. LN6 —6G **9**
Lilford Clo. LN2 —6A **6**
Lilford Rd. LN2 —6A **6**
Lillicrap Ct. LN1 —1E **10**
Lilly's Rd. LN1 —1F **11**
Lilys Rd. LN1 —1F **11**
Lime Gro. LN3 —1F **13**
Limekiln Way. LN2 —2J **11**
Limelands. LN2 —2G **11**
Lincoln Av. LN6 —6C **10**
Lincoln Dri. LN5 —2G **21**
Lincoln Relief Rd. LN2 —4F **5**
Lincoln Relief Rd. LN6, LN1 &
LN2 —5D **14**
Lincoln Rd. LN1 —3G **3**
Lincoln Rd. LN2 —5J **5**
Lincoln Rd. LN3 —2H **13**
Lincoln Rd. LN4 —7H **11**
(Canwick)
Lincoln Rd. LN4 —4B **12**
(Washingborough)
Lincoln Rd. LN6 —6A **8**
(Doddington)
Lincoln Rd. LN6 —6K **15**
(North Hykeham)
Lincoln Rd. LN6 —2F **9**
(Skellingthorpe)
Linden Av. LN4 —3C **18**
Lindholme Rd. LN6 —1H **15**
Lindrick Clo. LN4 —6F **13**
Lindum Av. LN2 —2G **11**

Lindum Rd. LN2 —3F **11**
Lindum Ter. LN2 —2G **11**
Linnet Clo. LN6 —6H **9**
Linton Clo. LN4 —7F **13**
Linton St. LN5 —5F **11**
Lissett Clo. LN6 —1F **15**
Lit. Bargate St. LN5 —6E **10**
Lit. Gate La. LN4 —6J **19**
Liverpool Dri. LN6 —4F **9**
Locking Clo. LN6 —1G **15**
Lodge Dri. LN4 —4F **19**
Lodge La. LN2 —2D **6**
Long Clo. La. LN3 —2K **13**
Longdales Rd. LN2 —7F **5**
Longland Wlk. LN2 —6K **5**
Long Leys Access Rd. LN1
—7C **4**
Long Leys Rd. LN1 —6A **4**
Longstongs Cres. LN4
—4E **12**
Lonsdale Ct. LN4 —5D **12**
Lonsdale Pl. LN5 —5F **11**
Lorne St. LN5 —4G **11**
Lotus Clo. LN5 —2F **21**
Lwr. Church Rd. LN6 —2F **9**
Lwr. High St. LN5 —2F **21**
Low Moor Rd. LN6 —2J **15**
Low Park La. LN4 —6H **13**
Lucy Tower St. LN1 —3E **10**
Ludford Dri. LN6 —7A **10**
Lumley Pl. LN5 —5F **11**
Luton Clo. LN6 —6F **9**
Lydd Clo. LN6 —1G **15**
Lyneham Clo. LN6 —7F **9**
Lynmouth Clo. LN6 —6K **15**
Lytham Clo. LN4 —5F **13**
Lytton St. LN2 —3G **11**

Macaulay Dri. LN2 —7H **5**
McInnes St. LN2 —3J **11**
Macmillan Av. LN6 —5G **15**
Magnolia Clo. LN4 —3D **18**
Magpie Clo. LN6 —3E **8**
Main Rd. LN4 —4D **12**
Main St. LN1 —3B **4**
(Doddington)
Main St. LN6 —5A **8**
(Doddington)
Main St. LN6 —7B **14**
(Thorpe on the Hill)
Mainwaring Rd. LN2 —1G **11**
Malham Clo. LN6 —5G **9**
Malham Dri. LN6 —4G **9**
Mallard Clo. LN6 —3E **8**
Malt Kiln La. LN5 —4E **20**
Malton Rd. LN6 —4K **15**
Malus Clo. LN4 —3D **18**
Malvern Av. LN4 —5F **13**
Malvern Clo. LN6 —7J **15**
Manchester Rd. LN5 —3G **21**
Manor Clo. LN2 —1F **11**
Manor Ct. LN2 —2A **6**
Manor Ct. LN2 —1G **7**
Manor Dri. LN2 —1H **7**
Manor La. LN1 —5E **2**
Manor La. LN5 —3E **20**
Manor Rd. LN1 —2E **2**
Manor Rd. LN2 —1G **11**

Manor Rd. LN4 —5D **12**
Manor Rd. LN6 —6J **15**
Manton Rd. LN2 —6F **5**
Maple Dri. LN2 —1H **7**
Marham Clo. LN6 —6F **9**
Marigold Clo. LN2 —5J **5**
Marina Clo. LN5 —2F **21**
Marina Clo. LN5 —4F **21**
Marjorie Av. LN6 —6D **10**
Marlborough Av. LN4 —5E **12**
Marlborough Clo. LN2 —5J **5**
Marlborough Ct. LN4 —5D **12**
Marlborough Ho. LN2 —6H **5**
Marlowe Dri. LN2 —7H **5**
Marne Gdns. LN1 —7E **4**
Martin Clo. LN4 —7F **13**
Martin Clo. LN6 —3E **8**
Martin St. LN5 —5F **11**
Massey Rd. LN2 —1G **11**
Matilda Rd. LN6 —5D **10**
Matlock Dri. LN6 —5J **15**
Maxwell Av. LN6 —6C **10**
Mayall Ct. LN5 —3F **21**
May Cres. LN1 —2D **10**
Mayfair Av. LN6 —7C **10**
Mays La. LN1 —3F **3**
Meadow Bank Dri. LN3
—1K **13**
Meadow Clo. LN3 —5J **7**
Meadow Clo. LN6 —7K **15**
Meadowlake Clo. LN6 —5J **9**
Meadowlake Cres. LN6 —5H **9**
Meadow La. LN3 —4H **7**
Meadow La. LN6 —7K **15**
(North Hykenham)
Meadow Rise. LN1 —2F **3**
Melbourne Clo. LN6 —7G **9**
Melbourne Rd. LN6 —6G **9**
Melbourne Way. LN5 —1D **20**
Mellows Clo. LN3 —5H **7**
Melville Clo. LN4 —4E **18**
Melville St. LN5 —3F **11**
Mere Rd. LN4 —7D **18**
Mere Rd. LN5 —3F **21**
Merrycock La. LN4 —7F **13**
Metheringham Clo. LN6
—7H **9**
Meynell Av. LN6 —6C **10**
Michaelgate. LN1 —2F **11**
Michaelgate Vs. LN1 —2F **11**
Middlebrook Rd. LN6 —2K **15**
Middle Fen La. LN6 —6K **13**
Middle La. LN1 —5F **3**
Middle La. LN6 —7C **14**
Middle St. LN1 —1B **4**
Middle St. LN4 —6K **19**
Middle St. LN6 —7K **15**
Middleton's Field. LN2
—1F **11**
Midville Clo. LN1 —5E **4**
Midway Clo. LN2 —1C **6**
Mildenhall Dri. LN6 —6F **9**
Mildmay St. LN1 —1E **10**
Millbeck Dri. LN2 —5H **5**
Millbrook Clo. LN6 —7H **15**
Mill Ct. LN1 —7E **4**
Millers Clo. LN4 —6E **12**
Millers Dale. LN6 —5K **15**

Millfield Av. LN1 —2F **3**
Mill Hill. LN2 —2B **6**
Mill La. LN1 —2F **3**
Mill La. LN4 —6F **13**
Mill La. LN5 —5E **10**
Mill La. LN6 —7H **15**
Mill Mere Rd. LN5 —2F **21**
Mill Moor Way. LN6 —6H **15**
Mill Rd. LN1 —1E **10**
Mill Row. LN1 —7E **4**
Mill Stone La. LN5 —2F **21**
Millstream Rd. LN4 —6F **13**
Milman Rd. LN2 —3H **11**
Minster Dri. LN3 —6G **7**
Minster Yd. LN2 —2F **11**
Minting Clo. LN1 —5E **4**
Mint La. LN1 —3E **10**
Mint St. LN1 —3E **10**
Monks Leys Ter. LN2 —2G **11**
Monks Mnr. Ct. LN2 —1H **11**
Monks Manor Ct. LN2
—1H **11**
Monks Mnr. Dri. LN2 —2H **11**
Monks Rd. LN2 —3F **11**
Monks Way. LN2 —3K **11**
Monsal Dale. LN6 —5K **15**
Monson Ct. LN5 —5E **10**
Monson Pk. LN6 —2E **8**
Monson St. LN5 —5E **10**
Mons Rd. LN1 —7E **4**
Montague St. LN2 —3G **11**
Montague Ter. LN2 —3G **11**
Montagu Rd. LN4 —6H **11**
Montaigne Clo. LN2 —6K **5**
Montaigne Cres. LN2 —6K **5**
Montaigne Gdns. LN2 —6J **5**
Montrose Clo. LN6 —6J **15**
Moorby Clo. LN1 —6E **4**
Moorland Cen. LN6 —2K **15**
Moorland Way. LN6 —2K **15**
Moor La. LN3 —5J **7**
(in two parts)
Moor La. LN4 —4F **19**
Moor La. LN6 —6H **15**
(North Hykeham)
Moor La. LN6 —6A **14**
(Thorpe on the Hill)
Moorside Ct. LN6 —7J **15**
Moor St. LN1 —2D **10**
Morton Dri. LN6 —7K **9**
Motherby Hill. LN1 —2E **10**
Motherby La. LN1 —2E **10**
Mount St. LN1 —7E **4**
Moxons La. LN5 —3F **21**
Much La. LN5 —3E **10**
Mulberry Av. LN6 —5K **15**
Naam Gro. LN1 —1E **10**
Naam Pl. LN1 —1E **10**
Napier St. LN2 —3G **11**
Nash La. LN6 —6J **15**
Natal View. LN1 —5D **4**
Neale Ct. LN6 —7J **15**
Neale Rd. LN6 —7J **15**
Neile Clo. LN2 —6K **5**
Nelson Dri. LN4 —4D **12**
Nelson Rd. LN3 —2K **13**
Nelson St. LN1 —3D **10**
Nelthorpe St. LN5 —5E **10**

Nene Rd. LN1 —5E **4**
Nettleham Clo. LN2 —7G **5**
Nettleham Rd. LN2 —1G **11**
Nettleton Ho. LN2 —5H **5**
Neustadt Ct. LN2 —2F **11**
Newark Rd. LN6 & LN5
—7E **14**
Newcot La. LN4 —7H **13**
New Cres. LN3 —7F **7**
Newland. LN1 —3E **10**
Newland St. W. LN1 —2D **10**
Newport. LN1 —1F **11**
Newport Arch. LN1 —1F **11**
Newport Ct. LN1 —1E **10**
Newport Cres. LN5 —2F **21**
Newporte Bus. Pk. LN2
—1J **11**
Newstead Av. LN3 —1G **13**
Newsums Vs. LN1 —2C **10**
Newton St. LN1 —2C **10**
Nightingale Cres. LN6 —6H **9**
Nocton Dri. LN2 —5F **5**
Norfolk St. LN1 —2C **10**
Norman St. LN4 —5F **11**
Norris St. LN5 —5F **11**
North Ct. LN2 —1B **6**
Northcroft. LN1 —1E **2**
N. Dales Rd. LN4 —4J **13**
N. Dalesy Rd. LN4 —4K **13**
Northgate. LN2 —1F **11**
North La. LN3 —4G **7**
Northorpe Clo. LN6 —7K **9**
North Pde. LN1 —2E **10**
North St. LN2 —1B **6**
*N. Witham Bank. LN5 —3E **10***
(off High St. Lincoln,)
Norwich Clo. LN4 —5G **13**
Nottingham Ter. LN2 —2G **11**
Nursery Clo. LN1 —2E **2**
Nursery Gro. LN2 —7G **5**
Nurses La. LN6 —1E **8**

Oak Clo. LN2 - 1H **7**
Oak Cres. LN3 —1F **13**
Oakfield. LN1 —2E **2**
Oakfield St. LN2 —3H **11**
Oak Hill. LN4 —4D **12**
Oakland Clo. LN1 —6D **4**
Oaklands. LN1 —2E **2**
Oakleigh Dri. LN1 —1C **10**
Oakleigh Ter. LN1 —7C **4**
Oakwood Av. LN6 —6G **9**
Occupation La. LN1 —6E **2**
Occupation Rd. LN1 —1E **10**
Oldale Clo. LN6 —4G **9**
Old Chapel Rd. LN6 —2E **8**
Old Pond Clo. LN6 —6H **9**
Old Stack Yd. LN4 —6G **13**
Olive St. LN1 —7E **4**
Orchard Clo. LN3 —1F **13**
Orchard La. LN1 —2E **2**
Orchard Rd. LN3 —1K **13**
Orchard St. LN1 —3E **10**
Orchard, The. LN4 —4C **12**
Orchard Way. LN2 —1C **6**
Osborne Clo. LN1 —7E **4**
Otter Av. LN1 —2E **2**

Otters Cotts. LN5 —7D **10**
Oundle Clo. LN4 —5E **12**
Outer Circ. Dri. LN2 —6H **5**
Outer Circ. Grn. LN2 —7J **5**
Outer Circle Grn. LN2 —7K **5**
Oval App. LN2 —6H **5**
Oval, The. LN2 —6H **5**
Oxford Clo. LN4 —5E **12**
Oxford St. LN5 —4F **11**

Paddock La. LN4 —4E **18**
Paddock, The. LN2 —2H **7**
Paddock, The. LN4 —6H **11**
Paddock, The. LN6 —2E **8**
Palmer St. LN5 —5F **11**
Parade, The. LN3 —7G **7**
Park Av. LN4 —4E **12**
Park Av. LN6 —7K **9**
Park Clo. LN2 —1H **7**
Park Cres. LN4 —5E **12**
Parklands. LN5 —3G **21**
Park La. LN4 —6G **13**
(Heighington)
Park La. LN4 —5E **12**
(Washingborough)
Parksgate Av. LN6 —2K **15**
Parkside. LN2 —2B **6**
Park St. LN1 —3E **10**
Park, The. LN1 —3E **10**
Park View Av. LN4 —3C **18**
Pateley Moor Clo. LN6
—7J **15**
Peak Dale. LN6 —5J **15**
Pear Tree Clo. LN6 —5G **9**
Peel St. LN5 —5E **10**
Pelham Bri. LN5 —4F **11**
Pelham Clo. LN2 —1H **7**
Pelham La. LN4 —6H **11**
Pelham St. LN5 —4F **11**
Pemberton Pl. LN3 —5H **7**
Penfold La. LN4 —4E **12**
Pennell St. LN5 —5E **10**
Penny Cres. LN2 —5J **5**
Percy St. LN2 —3H **11**
Perney Cres. LN6 —7J **15**
Pershore Way. LN6 —1G **15**
Peter Hodgkinson Cen. LN2
—2H **11**
Philip Ct. LN6 —6K **15**
Photinia Clo. LN4 —3E **18**
Pietermaritz St. LN1 —5E **4**
Pietermaritz View. LN1 —5E **4**
Pine Clo. LN1 —5F **5**
Pitts Rd. LN4 —5E **12**
Pleasant Ter. LN5 —6E **10**
Plough La. LN3 —1K **13**
(Fiskerton)
Plough La. LN3 —5H **7**
(Reepham)
Plover Clo. LN6 —6J **9**
Poachers Brook. LN6 —1E **8**
Poplar Pk. LN6 —7K **15**
Portland St. LN5 —4E **10**
Pottergate. LN2 —2F **11**
Pottergate Clo. LN5 —2F **21**
Potterhanworth Rd. LN4
—7G **13**

Prestwick Clo. LN6 —5F **9**
Princess Royal Clo. LN2
—2G **11**
Princess St. LN5 —5D **10**
Prior St. LN5 —5E **10**
Priory Dri. LN3 —2K **13**
Priory Ga. LN2 —2F **11**
Proctors Rd. LN2 —1K **11**
Pudding Busk La. LN4
—1F **19**
Pyke Rd. LN6 —2H **15**
Pynder Clo. LN4 —4C **12**
Quarry Ind. Est., The. LN5
—2F **21**
Queen Elizabeth Rd. LN1
—5D **4**
Queen Mary Rd. LN1 —5D **4**
Queensbury Ct. LN4 —4D **12**
Queens Cres. LN1 —1D **10**
Queen St. LN5 —5E **10**
Queensway. LN1 —3F **3**
Queensway. LN2 —1H **11**
Queensway. LN6 —3D **8**
Queensway Ct. LN1 —3F **3**
Quorn Dri. LN6 —6C **10**

Railway Ct. LN1 —3E **2**
Rasen La. LN1 —1E **10**
Rauceby Ter. LN1 —3E **10**
Ravendale Dri. LN2 —6G **5**
Ravensmoor Clo. LN6 —7J **15**
Rayton Clo. LN4 —4C **12**
Reading Clo. LN4 —5G **13**
Rectory La. LN4 —4E **18**
Rectory La. LN3 —3E **20**
Redbourne Dri. LN2 —5G **5**
Redcar Clo. LN6 —3K **15**
Redcote Clo. LN6 —3K **15**
Redcote Dri. LN6 —2K **15**
Redwing Clo. LN6 —3E **8**
Redwing Gro. LN6 —6H **9**
Reepham Rd. LN3 —6J **7**
Regent Av. LN6 —5G **9**
Regents Pk. Clo. LN6 —6K **15**
Remigius Gro. LN2 —6K **5**
Repton Clo. LN4 —5F **13**
Reservoir St. LN1 —1E **10**
Retief Clo. LN1 —5D **4**
Retief View. LN1 —5D **4**
Revesby Clo. LN6 —1K **15**
Richards Av. LN6 —3K **15**
Richmond Dri. LN6 —4K **15**
Richmond Gro. LN1 —2D **10**
Richmond Rd. LN1 —2D **10**
Ridge View. LN1 —5D **4**
Ridgeway. LN2 —2C **6**
Ridgewell Clo. LN6 —6H **9**
Rigsmoor Clo. LN6 —7J **15**
Ringwood Clo. LN6 —5H **9**
Ripon St. LN5 —5F **11**
Risby Grn. LN6 —7A **10**
Riseholme La. LN2 —2F **5**
Riseholme Rd. LN1 —5F **5**
Riverdale. LN2 —1C **6**
Riverton Clo. LN1 —5D **4**
Riverton View. LN1 —5D **4**
Robertson Clo. LN5 —3F **21**

Robertson Rd. LN6 —6J **15**
Robert Tressel Wlk. LN2
—6J **5**
Robey St. LN5 —6E **10**
Rochester Dri. LN6 —4H **9**
Rolleston Clo. LN2 —6F **5**
Roman Pavement. LN2
—2J **11**
Roman Wharf. LN1 —2C **10**
Rookery, The. LN2 —2B **6**
Rope Wlk. LN6 —4D **10**
Rosebery Av. LN1 —1D **10**
Rosedale Clo. LN6 —4K **15**
Rose Hill Clo. LN1 —2E **2**
Rosemary La. LN2 —3F **11**
Rosewood Clo. LN6 —6G **9**
Rothwell Rd. LN2 —6F **5**
Roughton Ct. LN2 —5G **5**
Rowan Rd. LN6 —4K **15**
Rowans, The. LN2 —2B **6**
Roway Ct. LN4 —6F **13** ˉ
Roxborough Clo. LN6 —4J **9**
Roxby Clo. LN6 —1K **15**
Royal Oak La. LN4 —4E **12**
Roydon Gro. LN6 —7B **10**
Ruckland Av. LN1 —6E **4**
Ruckland Ct. LN1 —6E **4**
Rudgard Av. LN3 —7G **7**
Rudgard La. LN1 —2D **10**
Rufford Grn. LN6 —6C **10**
Ruskin Av. LN2 —7H **5**
Ruskin Grn. LN2 —7H **5**
Russell Av. LN6 —7J **15**
Russell Ct. LN1 —1F **11**
Rydal Clo. LN6 —4H **9**

Sadler Rd. LN6 —1F **15**
St Aiden's Rd. LN6 —5H **15**
St Andrew's Clo. LN5 —5F **11**
St Andrews Dri. LN1 —2D **2**
St Andrew's Dri. LN6 —6C **10**
St Andrew's Gdns. LN6
—6C **10**
St Andrews Pl. LN5 —4F **11**
St Andrews St. LN5 —5F **11**
St Anne's Clo. LN2 —2H **11**
St Anne's Rd. LN2 —2H **11**
St Benedict's Clo. LN5
—5H **15**
St Benedict's Sq. LN5 —3E **10**
St Botolphs Clo. LN1 —1F **3**
St Botolph's Ct. LN5 —6E **10**
St Botolph's Cres. LN5
—6D **10**
St Catherines. LN5 —7E **10**
St Catherine's Ct. LN5
—7D **10**
St Catherine's Gro. LN5
—7D **10**
St Catherine's Rd. LN5
—7E **10**
St Catherine's Ter. LN5
—7D **10**
St Claire's Ct. LN6 —6G **9**
St Clement's Dri. LN4 —2K **13**
St Clement's Pas. LN2
—3G **11**

St Clement's Rd. LN6 —5H 15
St Crispin's Clo. LN6 —5H 15
St David's Clo. LN3 —6G 7
St David's Rd. LN6 —5H 15
St Edward's Dri. LN2 —2H 7
St Faith's Ct. LN1 —2D 10
St Faith's St. LN1 —2D 10
St Francis's Ct. LN6 —5H 15
St George's Clo. LN6 —4J 15
St George's La. LN2 —4F 5
St Giles Av. LN2 —1G 11
St Helen's Av. LN6 —7B 10
St Hilary's Clo. LN6 —4H 15
St Hugh's Clo. LN3 —6G 7
St Hugh's Dri. LN6 —5J 15
St Hugh St. LN2 —3G 11
St John's Av. LN3 —6G 7
St John's Av. LN6 —5J 15
St Johns Rd. LN1 —7F 5
St Leonard's La. LN2 —2G 11
St Lukes Clo. LN3 —6H 7
St Mark's Av. LN3 —6G 7
St Mark St. LN5 —4E 10
St Martin's La. LN2 —2F 11
St Martin's St. LN2 —2F 11
St Mary's Rd. LN6 —5J 15
St Mary's St. LN5 —4F 11
St Matthews Clo. LN3 —6G 7
St Matthews Clo. LN6 —5D 10
St Michael's Clo. LN5 —3F 21
St Paul's Av. LN3 —6G 7
St Paul's La. LN1 —2F 11
St Peter at Arches. LN2 —3F 11
St Peter's Av. LN3 —6G 7
St Peter's Av. LN6 —5H 15 (North Hykeham)
St Rumbold St. LN2 —3F 11
St Simon's Dri. LN3 —6G 7
St Stephen's Ct. LN6 —6J 15
St Swithin's Sq. LN2 —3F 11
Salisthorpe St. LN5 —5F 11
Salix App. LN6 —5G 9
Saltergate. LN2 —3F 11
Sanders Clo. LN1 —5D 4
Sanders View. LN1 —5D 4
Sandra Cres. LN4 —5F 13
Sandringham Ho. LN2 —6H 5
Sandtoft Clo. LN6 —1H 15
Sandwell Dri. LN6 —5H 9
Sastangate Ho. LN1 —1E 10
Satinwood Clo. LN6 —5G 9
Sausthorpe St. LN5 —5F 11
Saville St. LN5 —7D 10
Saxilby Rd. LN1 —4K 3
Saxilby Rd. LN1 —5E 2 (Broadholme)
Saxilby Rd. LN6 —6J 3
Saxon St. LN1 —1E 10
Scampton Av. LN6 —1K 15
Scawby Cres. LN6 —7K 9
School La. LN1 —7A 2
School La. LN4 —6G 11 (Canwick)
School La. LN4 —4E 12 (Washingborough)

School La. LN5 —7E 20
School La. LN6 —6K 15 (North Hykeham)
School La. LN6 —7B 14 (Thorpe on the Hill)
Scopwick Pl. LN2 —5F 5
Scorer St. LN5 —5E 10
Scothern Rd. LN2 —1B 6 (Nettleham)
Scothern Rd. LN2 —1G 7 (Sudbrooke)
Scott Gdns. LN2 —7J 5
Scotton Dri. LN6 —7A 10
Searby Rd. LN2 —5H 5
Sedgebrook Clo. LN2 —5F 5
Sedgebrook Ho. LN2 —5F 5
Sedgemoor Clo. LN6 —6J 15
Seeley Clo. LN4 —6F 13
Severn St. LN1 —2C 10
Sewell Rd. LN2 —2G 11
Sewell's Wlk. LN5 —5E 10
Shaftesbury Av. LN6 —4H 9
Shakespeare St. LN5 —6E 10
Shardloes. LN4 —3F 19
Shawbury Clo. LN6 —1G 15
Shaw Way. LN2 —1B 6
Shearwater Clo. LN6 —5J 9
Shearwater Rd. LN6 —6J 9
Sheepwash La. LN4 —6E 12
Shelley Dri. LN2 —7H 5
Sheppard's Clo. LN4 —6F 13
Sheraton Clo. LN6 —7H 9
Sherbrooke St. LN2 —3K 11
Sheridan Clo. LN2 —6J 5
Shuttleworth Clo. LN6 —7J 15
Shuttleworth Ho. LN2 —3G 11
Sibthorpe Dri. LN2 —1H 7
Sibthorpe Gdns. LN4 —6H 11
Sibthorp St. LN5 —5E 10
Sidings, The. LN1 —3E 2
Sidney St. LN5 —6E 10
Sidney Ter. LN5 —6E 10
Silver St. LN2 —3F 11
Silver St. LN4 —4E 18
Simons Way. LN2 —3K 11
Sincil Bank. LN5 —6E 10
Sincil St. LN5 —3F 11
Skellingthorpe Rd. LN1 —3F 3
Skellingthorpe Rd. LN6 —4H 9
Skerries Clo. LN6 —6K 15
Skirbeck Dri. LN1 —3E 2
Sleaford Rd. LN4 —4E 18 (Branston)
Slessor St. LN5 —2G 21
Smith St. LN5 —5E 10
Smooting La. LN3 —5J 7
Snaith Clo. LN6 —1F 15
Snetterton Clo. LN6 —7G 9
Snowberry Gdns. LN6 —6G 9
Somerset Ho. LN2 —5F 5
Somerton Ga. La. LN5 —3B 20
Somerville Clo. LN5 —1D 20
Somerville Clo. LN5 —1D 20
Sorrell Ct. LN6 —6G 9
South Pde. LN1 —2D 10 (New Boultham)

South Pde. LN1 —2E 2 (Saxilby)
South Pk. LN5 —6E 10 (In Two Parts)
South Pk. Av. LN5 —6F 11
S. Witham Bank. LN5 —3E 10 (off St Benedict's Sq.)
Spa Bldgs. LN2 —3G 11
Spanby Dri. LN6 —7A 10
Spa Rd. LN2 —3H 11
Sparrow La. LN2 —3G 11
Spa St. LN2 —3H 11
Spencer St. LN5 —6E 10
Spennymoor Clo. LN6 —7G 15
Spilsby Clo. LN6 —6H 9
Spirea App. LN6 —6G 9
Spital St. LN1 —7F 5
Springfield Clo. LN1 —1F 11
Springfield Yd. LN4 —4E 18
Spring Hill. LN1 —2E 10
Spring Hill. LN3 —5H 7
Spruce Cres. LN4 —3C 18
Staffordshire Cres. LN6 —7H 9
Stainton Gdns. LN1 —6E 4
Stamp End. LN2 —3G 11
Stanley Pl. LN5 —5F 11
Stanley St. LN5 —7D 10
Stapleford Av. LN2 —5F 5
Staples La. LN5 —3E 20
Station Field. LN6 —3F 9
Station Rd. LN3 —5H 7
Station Rd. LN4 —4E 18 (Branston)
Station Rd. LN4 —7F 13 (Heighington)
Station Rd. LN4 —7H 19 (Potterhanworth Heath)
Station Rd. LN5 —1C 20
Station Rd. LN5 —7A 20
Station Rd. LN6 —4H 15 (North Hykeham)
Station Rd. LN6 —6A 14 (Whisby)
Staunton St. LN1 —3D 10
Staverton Cres. LN6 —6F 9
Steepers, The. LN2 —1C 6
Steep Hill. LN2 —2F 11
Steeping Ct. LN1 —5E 4
Stenigot Clo. LN6 —1G 15
Stenigot Gro. LN6 —1H 15
Stenigot Rd. LN6 —1G 15
Stirling Way. LN6 —2D 8
Stonebow Cen. LN2 —3F 11
Stonefield Av. LN2 —1F 11
Stone La. LN5 —2F 21
Stonelea Clo. LN4 —4F 19
Stone Moor Rd. LN6 —7H 15
Stone Pk. Caravan Pk. LN5 —2F 21
Stoney Yd. LN6 —1E 8
Stoyles Way. LN4 —6F 13
Strait. LN2 —2F 11
St. Nicholas St. LN1 —1F 11
Strubby Clo. LN6 —6H 9
Stuart Ho. LN2 —6G 5
Stuart's Yd. LN5 —3F 11

Sturgate Clo. LN6 —7G 9
Sturton Clo. LN2 —6F 5
Sturton Rd. LN1 —1F 3
Sudbrooke Dri. LN2 —6G 5
Sudbrooke Holme Dri. LN2 —1G 7
Sudbrooke La. LN2 —2C 6
Sunbeam Av. LN6 —6H 15
Sunfield Cres. LN6 —5H 9
Sunningdale Dri. LN6 —6D 15
Sunningdale Gro. LN4 —5F 13
Sunningdale Trading Est. LN6 —6C 10
Sutton Clo. LN2 —2A 6
Sutton Clo. LN4 —5C 12
Swaby Clo. LN2 —5G 5
Swallow Av. LN6 —3E 8
Swallowbeck Av. LN6 —3K 15
Swanpool Ct. LN5 —3E 10
Swan St. LN2 —3F 11
Swayne Clo. LN2 —6K 5
Swift Gdns. LN2 —6H 5
Swift Grn. LN2 —6H 5
Sycamore Clo. LN3 —1F 13
Sycamore Clo. LN4 —2D 18
Syd Wilson Ct. LN1 —6D 4
Sykes La. LN1 —1B 2
Syringa Grn. LN6 —5G 9
Sywell Clo. LN6 —1G 15

Tangshan Ct. LN1 —5E 4
Tanner's La. LN5 —4E 10
Tealby St. LN5 —6E 10
Tedder Dri. LN5 —2F 21
Teesdale Clo. LN6 —4G 9
Tempest St. LN2 —3H 11
Temple Gdns. LN2 —2F 11
Ten Acre La. LN4 —2G 9
Tennyson St. LN1 —2D 10
Tentercroft St. LN5 —4E 10
Tetney Clo. LN1 —5E 4
Thackers La. LN4 —4E 18
Theodore St. LN1 —1E 10
Thesiger St. LN5 —5F 11
Third Hill Rd. LN4 —1H 19
Thirlmere Way. LN6 —4G 9
Thirsk Dri. LN6 —3K 15
Thistle Clo. LN2 —5J 5
Thomas St. LN2 —3G 11
Thonock Clo. LN1 —6F 5
Thonock Dri. LN1 —2D 2
Thoresway Dri. LN2 —6G 5
Thorngate. LN2 —3F 11
Thornton Clo. LN4 —4C 12
Thornton Clo. LN6 —7A 10
Thornton Way. LN3 —7G 7
Thorpe Av. LN1 —6D 4
Thorpe La. LN6 —7E 14
Thorpe Rd. LN6 —5A 14
Thurlby Clo. LN4 —4C 12
Thurlby Cres. LN2 —5H 5
Thurlow Ct. LN2 —6A 6
Timm's La. LN5 —3E 20
Tinkers La. LN5 —4F 21
Tobruk Clo. LN1 —5D 4
Tom Otter's La. LN1 —5B 2
Tom Ward Ct. LN1 —7F 5

Tom Ward Ct. LN1 —7F **5**
Torksey Av. LN1 —2D **2**
Toronto St. LN2 —3J **11**
Torrington Rd. LN2 —5F **5**
Tothill Clo. LN6 —7K **9**
Tower Av. LN2 —2K **11**
Tower Cres. LN2 —2K **11**
Tower Dri. LN2 —2K **11**
Tower Flats. LN2 —2K **11**
Tower Gdns. LN2 —2K **11**
Tower La. LN4 —7H **21**
Trafalgar Ct. LN4 —4D **12**
Trelawney Cres. LN1 —5E **4**
Trenchard Sq. LN5 —2G **21**
Trent View. LN1 —5D **4**
Trevose Dri. LN6 —6K **15**
Tritton Rd. LN6 —3K **15**
Tritton Rd. Trading Est. LN6
—5C **10**
Trollope St. LN5 —4F **11**
Troon Clo. LN4 —5F **13**
Troutbeck Clo. LN2 —5G **5**
Truro Dri. LN6 —6F **9**
Tudor Ho. LN2 —5G **5**
Tudor Rd. LN6 —1H **15**
Tulipwood Av. LN6 —5G **9**
Turnberry Clo. LN4 —6F **13**
Turnbury Clo. LN6 —7F **9**
Turner St. LN1 —1E **10**

Uffington Clo. LN6 —7A **10**
Uldale Clo. LN6 —4G **9**
Union Rd. LN1 —2E **10**
Unity Sq. LN2 —3F **11**
Up. Lindum St. LN2 —2G **11**
Up. Long Leys Rd. LN1
—1E **10**
Up. Saxon St. LN1 —1E **10**
Usher Av. LN6 —7B **10**

Valentine Rd. LN6 —4C **10**
Valliant St. LN5 —3G **21**
Vanwall Dri. LN5 —2F **21**
Ventnor Ter. LN2 —2F **11**
Verdun Clo. LN1 —6E **4**
Vere St. LN1 —7E **4**
Vernon St. LN5 —5D **10**
Veronica Clo. LN4 —3D **18**
Vicarage Dri. LN6 —3F **9**
Vicarage La. LN2 —2B **6**
Vicarage La. LN6 —6E **20**
Vicar's Ct. LN2 —2F **11**
Victor Dri. LN6 —6G **15**
Victoria Gro. LN4 —5F **13**
Victoria Pas. LN1 —2E **10**
Victoria St. LN1 —2E **10**
Victoria Ter. LN1 —2E **10**

Victor Way. LN5 —3G **21**
Viking Clo. LN5 —2E **20**
Villa Clo. LN4 —4E **18**
Vine St. LN2 —3G **11**
Vulcan Cres. LN6 —5G **15**
Vulcan St. LN5 —2G **21**

Waddingworth Gro. LN2
—5G **5**
Wainer Clo. LN6 —2G **15**
Wainwell M. LN2 —2G **11**
Wake St. LN1 —1E **10**
Walcot Clo. LN6 —1K **15**
Waldeck St. LN1 —1E **10**
Walmer St. LN2 —3J **11**
Walnut Pl. LN5 —5F **11**
Waltham Clo. LN6 —1G **15**
Waltham Rd. LN6 —1F **15**
Wasdale Clo. LN6 —4G **9**
Washdyke La. LN2 —2K **5**
Washingborough Rd. LN4
(Canwick) —6G **11**
Washingborough Rd. LN4
(Washingborough) —6E **12**
Waterford La. LN3 —2E **12**
Water La. LN1 —3E **10**
Water La. LN6 —7K **15**
Waterloo La. LN6 —4F **9**
Waterloo St. LN6 —4D **10**
Watermill La. LN2 —2B **6**
Waterside N. LN2 —3F **11**
Waterside Shopping Cen. LN2
—3F **11**
Waterside S. LN5 —3F **11**
Waterwheel La. LN4 —5D **18**
Wavell Dri. LN3 —2A **12**
Wavell Rd. LN3 —2K **11**
Waverley Av. LN6 —4K **15**
Webb St. LN5 —6D **10**
Wedgewood Clo. LN6 —7H **9**
Wedgewood Gro. LN6 —7H **9**
Wedgewood Rd. LN6 —7H **9**
Weir St. LN5 —6D **10**
Welbeck St. LN2 —3H **11**
Welbourn Gdns. LN2 —5G **5**
Welland Rd. LN1 —5D **4**
Wellingore Rd. LN2 —5G **5**
Wellington Clo. LN6 —2D **8**
Wellington Sq. LN5 —3G **21**
Wellington St. LN1 —2D **10**
Well La. LN2 —2F **11**
Wells Clo. LN4 —5G **13**
Wellsykes La. LN4 —7C **12**
Welton Gdns. LN2 —5F **5**
Welton Rd. LN2 —2K **5**
Wentworth Clo. LN4 —5G **13**
West Bank. LN1 —4C **2**
W. Bight. LN1 —1F **11**

Westbourne Gro. LN1
—3D **10**
Westbrooke Clo. LN6 —6B **10**
Westbrooke Rd. LN6 —6B **10**
Westcliffe St. LN1 —7D **4**
Westcroft Dri. LN1 —1E **2**
West Dri. LN2 —1G **7**
(in three parts)
Western Av. LN1 —2D **2**
Western Av. LN6 —6B **10**
Western Cres. LN6 —6B **10**
Westfield Av. LN2 —5D **6**
Westfield Dri. LN2 —5C **6**
Westfield La. LN3 —5E **6**
Westfield St. LN1 —3D **10**
Westgate. LN1 —2E **10**
Westholm Clo. LN2 —5K **5**
W. Mill Ga. LN3 —7G **7**
Westminster Ho. LN2 —5G **5**
Westminster Rd. LN6
—3H **15**
West Pde. LN1 —2D **10**
Westway. LN2 —2C **6**
Westwick Dri. LN6 —7B **10**
Westwood Clo. LN6 —6A **10**
Westwood Dri. LN6 —6A **10**
Wetherby Cres. LN6 —3K **15**
Wharfedale Dri. LN6 —4K **15**
Wheatfield Rd. LN6 —5G **9**
Whisby Rd. LN6 —6A **8**
(Doddington)
Whisby Rd. LN6 —3B **14**
(Whisby)
Whisby Way. LN6 —2G **15**
Whitehall Gro. LN1 —2E **10**
Whitehall Ter. LN1 —2E **10**
White La. LN5 —7F **21**
Whitethorn Gro. LN6 —5G **9**
Whitley Clo. LN6 —2E **8**
Wickenby Cres. LN1 —6E **4**
Wigford. LN5 —4E **10**
Wigford Way. LN5 —3E **10**
Wigsley Clo. LN6 —1H **15**
Wigsley Rd. LN6 —1H **15**
Williamson St. LN1 —1F **11**
William St. LN1 —3E **2**
Willingham Av. LN2 —5F **5**
Willis Clo. LN1 —1E **10**
Willis Ter. LN1 —1E **10**
Willow Clo. LN1 —3F **3**
Willow Ct. LN4 —4E **12**
(Washingborough)
Willowfield Av. LN2 —2C **6**
Willow Rd. LN4 —3C **18**
Willow Rd. LN6 —5K **15**
Willowtree Gdns. LN6 —6G **9**
Wilson St. LN1 —1E **10**
Winchester Dri. LN4 —5E **12**
Windermere Rd. LN2 —5J **5**

Windmill Clo. LN5 —4F **21**
Windmill View. LN1 —1E **10**
Windsor Clo. LN2 —1H **7**
Windsor Ho. LN2 —6G **5**
Wingrave St. LN1 —7D **4**
Winniffe Gdns. LN2 —6K **5**
Winnowstay La. LN2 —2G **11**
Winn St. LN2 —3G **11**
Winterton Ho. LN6 —7K **9**
Winthorpe Clo. LN6 —7G **9**
Winthorpe Gro. LN6 —7H **9**
Winthorpe Rd. LN6 —7H **9**
Wiseholme Rd. LN6 —4F **9**
Wisteria Av. LN4 —3D **18**
Witchford Clo. LN6 —1F **15**
Witchford Rd. LN6 —1F **15**
Witham Pk. Ho. LN5 —4G **11**
Witham View. LN4 —4C **12**
Wittering Clo. LN6 —1H **15**
Woburn Av. LN1 —7E **4**
Wold View. LN2 —1C **6**
Wolsey Way. LN2 —7K **5**
Wood Bank. LN6 —1E **8**
Woodburn Clo. LN1 —5E **4**
Woodburn View. LN1 —5E **4**
Wood Farm Cotts. LN1
—2C **2**
Woodfield Av. LN6 —6F **9**
Woodfield Ct. LN6 —5G **9**
Woodhall Cres. LN1 —2D **2**
Woodhall Dri. LN2 —5F **5**
Woodland Av. LN6 —4F **9**
Woodland View. LN2 —2G **11**
Wood La. LN6 —6E **14**
Woodpecker Clo. LN6 —3E **8**
Woodrush Rd. LN2 —5J **5**
Woodstock St. LN1 —2D **10**
Woodvale Av. LN6 —1G **15**
Woodvale Clo. LN6 —1G **15**
Worcester Clo. LN6 —7H **9**
Wordsworth St. LN1 —2F **11**
Wragby Rd. LN2 —2G **11**
(Lincoln)
Wragby Rd. LN2 —2H **7**
(Sudbrooke)
Wragby Rd. E. LN2 —6B **6**
Wrightsway. LN2 —1K **11**
Wyatt Ho. LN2 —7H **5**
Wyatt Rd. LN5 —7D **10**
Wyton Clo. LN6 —1F **15**
Wyville Wlk. LN6 —7K **9**

Yale Clo. LN4 —5F **13**
Yarborough Cres. LN1 —7E **4**
Yarborough Rd. LN1 —2D **10**
Yarborough Ter. LN1 —1E **10**
York Av. LN1 —2D **10**
York Clo. LN4 —5F **13**